D1278169

DISCARD

Para Emilia y Sara

Puede consultar nuestro catálogo en www.edicionesobelisco.com / www.picarona.net

EL GATO DE MATILDA
Texto e ilustraciones de
Emily Gravett

1.ª edición: noviembre de 2014

Título original: *Matilda's Cat*

Traducción: *Joana Delgado*
Corrección: *M.ª Ángeles Olivera*
Maquetación: *Marta Rovira Pons*

© 2012, Emily Gravett
(Reservados todos los derechos)
1.ª edición en 2012 de Macmillan Children's Books,
una división de Macmillan Pub. Ltd.
© 2014, Ediciones Obelisco, S. L.
(Reservados los derechos para la lengua española)

Edita: Picarona, sello infantil de Ediciones Obelisco, S. L.
Pere IV, 78 (Edif. Pedro IV) 3.ª planta, 5.ª puerta
08005 Barcelona - España
Tel. 93 309 85 25 - Fax 93 309 85 23
E-mail: picarona@picarona.net

ISBN: 978-84-16117-10-9
Depósito Legal: B-13.010-2014

Printed in China

Reservados todos los derechos. Ninguna parte de esta publicación, incluido el diseño
de la cubierta, puede ser reproducida, almacenada, transmitida o utilizada en manera
alguna por ningún medio, ya sea electrónico, químico, mecánico, óptico, de grabación
o electrográfico, sin el previo consentimiento por escrito del editor. Diríjase a CEDRO
(Centro Español de Derechos Reprográficos, www.cedro.org) si necesita
fotocopiar o escanear algún fragmento de esta obra.

El gato de Matilda

Emily Gravett

 Picarona

¡Al gato de Matilda le gusta
jugar con los ovillos de lana!

Jugar con ovillos de lana,

con cajas,

~~Jugar con ovillos de lana~~

~~con cajas,~~

¡y montar en triciclo!

Al gato de Matilda le gustan
las merendolas

las merendolas,

los sombreros originales

~~las merendolas,~~

~~los sombreros originales~~

¡y luchar contra el enemigo!

Al gato de Matilda
le gusta dibujar

~~Dibujar~~,

subirse a los árboles

~~Dibujar,~~

~~subirse a los árboles~~

y leer cuentos

antes de ir a dormir.

Al gato de Matilda NO le gusta
jugar con ovillos de lana,
ni las cajas,
ni montar en triciclo,
ni las merendolas,
ni los sombreros originales,
ni luchar contra el enemigo,
ni dibujar,
ni subirse a los árboles,
Ni leer cuentos
antes de ir a dormir.

Al gato de Matilda le gusta . . .

MATILDA.